D1289383

Les baleines

FLEURUS

Texte : **Véronique Sarano**
Édition : **Françoise Ancey**
Direction artistique : **Isabelle Mayer** et **Armelle Riva**
Mise en page : **Catherine Enault**
Fabrication : **Aurélie Lacombe** et **Thierry Dubus**

Film : ***Les baleines menacées***

Prémastering : **Studio DVDPartners**

Dépôt légal : mars 2012
ISBN : 978 2 215 10776 7
Code MDS : 591468
N° d'édition : M12053-01
1re édition

Photogravure : Amalthéa
Achevé d'imprimer en février 2012 sur les presses de l'imprimerie Proost, Belgique.
Loi n° 49-956 du 16 juillet 1949 sur les publications destinées à la jeunesse.

Sommaire

Au pays des baleines

Baleines et cachalot sont les plus grands animaux des mers. Ils ont fasciné les hommes et donné naissance à de multiples légendes. Aujourd'hui, les chercheurs ont percé quelques-uns de leurs mystères, ils nous racontent la vie de ces géants.

Elle souffle !

L'ancien cri des baleiniers est devenu le cri de joie qui alerte l'équipage lorsque la baleine apparaît à l'horizon. Car chaque rencontre est un immense moment d'émotion !

Dans les jumelles, le souffle puissant jaillit bien au-dessus de l'horizon. La baleine est là, à quelques centaines de mètres du bateau. Cela fait des heures que chacun guettait avec impatience ce souffle qui trahit sa présence.

5 minutes de bonheur

« Souffle ! » Le fin nuage de brume s'élève à nouveau, bien droit dans le ciel. Suivi du corps qui sort à peine de l'eau. L'immense dos défile lentement jusqu'au minuscule aileron dorsal. C'est déjà fini, la baleine disparaît sous l'eau. Dix fois, elle revient respirer bruyamment en surface. Puis elle s'enfonce vers les profondeurs à la recherche de sa nourriture. En tout, 5 petites minutes d'observation, 5 longues minutes de bonheur !

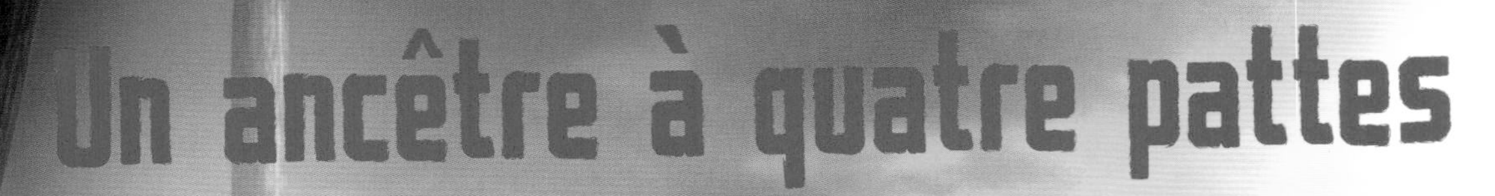

Un ancêtre à quatre pattes

Il y a 50 millions d'années, l'ancêtre des baleines ressemblait à un loup et courait sur la terre ferme ! Il chassait les animaux dans les marais le long des côtes. Ses descendants se sont risqués toujours plus loin en mer, ils sont devenus plus aquatiques. Certains sont devenus des baleines.

Difficile de croire qu'un petit mammifère terrestre, *Pakicetus*, est l'ancêtre des baleines ! Pourtant, au cours des millions d'années, les descendants de *Pakicetus* ont donné naissance à de nouvelles espèces dont le corps était de plus en plus allongé. En voici quelques-unes...

Pakicetus
(50 millions d'années)

Ambulocetus
(49 millions d'années)

Rodhocetus

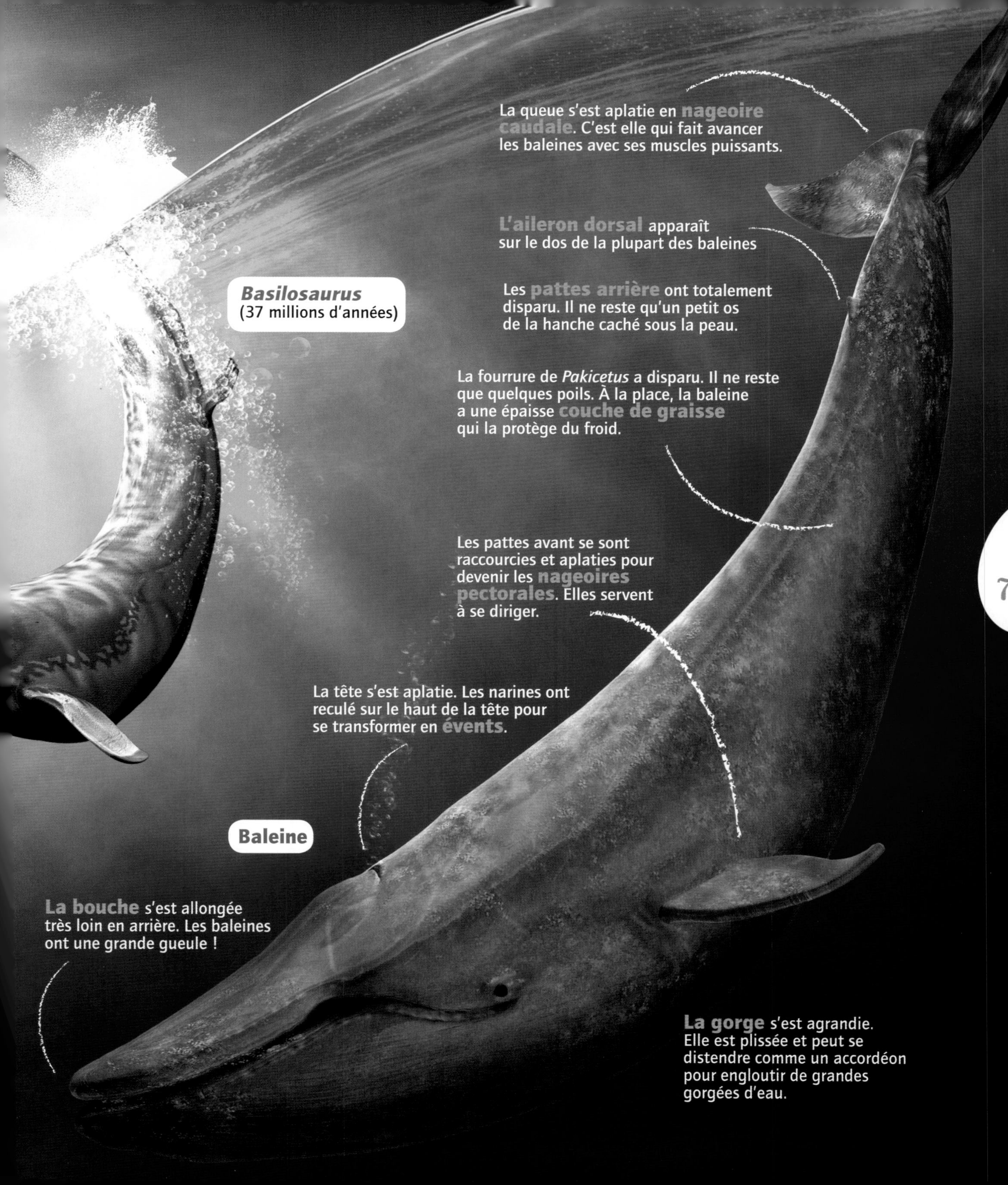
La queue s'est aplatie en nageoire caudale. C'est elle qui fait avancer les baleines avec ses muscles puissants.
L'aileron dorsal apparaît sur le dos de la plupart des baleines
Basilosaurus (37 millions d'années)
Les pattes arrière ont totalement disparu. Il ne reste qu'un petit os de la hanche caché sous la peau.
La fourrure de Pakicetus a disparu. Il ne reste que quelques poils. À la place, la baleine a une épaisse couche de graisse qui la protège du froid.
Les pattes avant se sont raccourcies et aplaties pour devenir les nageoires pectorales. Elles servent à se diriger.
La tête s'est aplatie. Les narines ont reculé sur le haut de la tête pour se transformer en évents.
Baleine
La bouche s'est allongée très loin en arrière. Les baleines ont une grande gueule !
La gorge s'est agrandie. Elle est plissée et peut se distendre comme un accordéon pour engloutir de grandes gorgées d'eau.

Une fausse allure de poisson

Les cétacés ont un corps allongé et des nageoires. Ils passent toute leur vie en mer, et pourtant, ne nous fions pas aux apparences, les baleines ne sont pas des poissons !

Des mammifères marins

Baleines, cachalot et dauphins sont des mammifères marins. Malgré leurs nageoires et leur large caudale, ils sont plus proches des phoques, des otaries et des hommes que des requins et autres poissons. Car comme les autres mammifères, ils allaitent leurs petits et ils respirent avec des poumons. On les appelle des cétacés. Ce nom vient du grec *cetus* donné par les savants de l'Antiquité, et qui signifie "baleine".

Pour reconnaître un cétacé d'un poisson, il suffit de regarder sa queue. Si elle est horizontale, c'est un cétacé (ci-dessous un cachalot). Si elle est verticale, c'est un poisson (ci-dessus un poisson-voilier) !

Une peau sans écaille

Les cétacés ont tous la peau lisse, comme le dos du rorqual ci-dessus. Certains possèdent encore des poils, souvenirs de la belle fourrure de leur lointain ancêtre *Pakicetus*. Mais aucun n'est recouvert d'écailles comme les poissons. Autre grande différence avec les poissons : les cétacés sont des animaux à sang chaud. Quelle que soit la température de l'eau de mer, leur corps reste toujours à la même température, comme celle de l'homme. Les poissons, en revanche, sont des animaux à sang froid. Leur corps est à la température de l'eau dans laquelle ils vivent : à 2 °C dans les eaux glaciales des pôles, à 28 °C dans la tiédeur des tropiques.

Un seul bébé

Les baleines et les dauphins donnent naissance à des bébés, alors que les poissons pondent des milliers d'œufs dans la mer. Ces œufs donneront des larves qui, souvent, ne ressemblent pas à l'adulte. Elles grandiront toutes seules en pleine mer, sans bénéficier de la protection de leurs parents. Chez les cétacés, au contraire, le mâle et la femelle s'accouplent. Le petit prend forme dans le ventre de sa mère et grandit bien à l'abri, pendant 6 à 12 mois selon les espèces. Quand il naîtra, le baleineau sera identique à ses parents.

Deux baleines franches en train de s'accoupler.

Avec ou sans dents

Chez les cétacés, tout est une question de dents ! Du moins, c'est le critère que les scientifiques ont choisi pour mettre un peu d'ordre dans ce grand groupe. Ils distinguent donc ceux qui ont des dents et ceux qui n'en ont pas.

Drôles de dentitions

Les cétacés sont tous des carnivores. Ils chassent d'autres animaux. Certains possèdent des dents, ce sont les "odontocètes" : dauphins, marsouins, bélouga, orques, et le plus imposant d'entre eux, le cachalot. Les autres sont les baleines vraies ou "mysticètes". Elles ont des fanons à la place des dents. Baleines vraies et cachalot sont les plus grands cétacés. Ce sont les géants des mers.

Le cachalot possède de belles dents. Mais il n'en a que sur sa petite mâchoire inférieure. Elles sont toutes identiques et viennent s'encastrer dans les creux de sa mâchoire supérieure.

Parmi les cétacés, les baleines vraies se reconnaissent à leurs fanons, de longues lames souples, qui pendent à la mâchoire supérieure. Elles sont constituées de la même matière que tes cheveux et retiennent les proies lorsque la baleine filtre l'eau.

Il existe 13 espèces de baleines vraies et 1 espèce de cachalot.
Les baleines sont rassemblées en 2 groupes :
– la famille des rorquals qui compte 7 espèces, notamment le rorqual commun, la baleine bleue et la baleine à bosse ;
– la famille des baleines franches avec 4 espèces.
La baleine pygmée et la baleine grise sont classées à part.

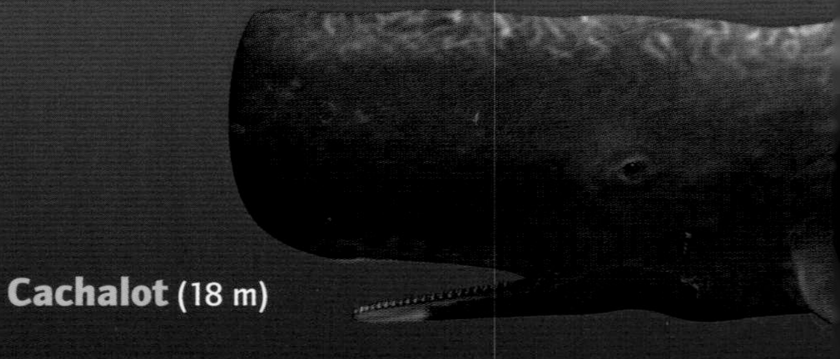

Cachalot (18 m)

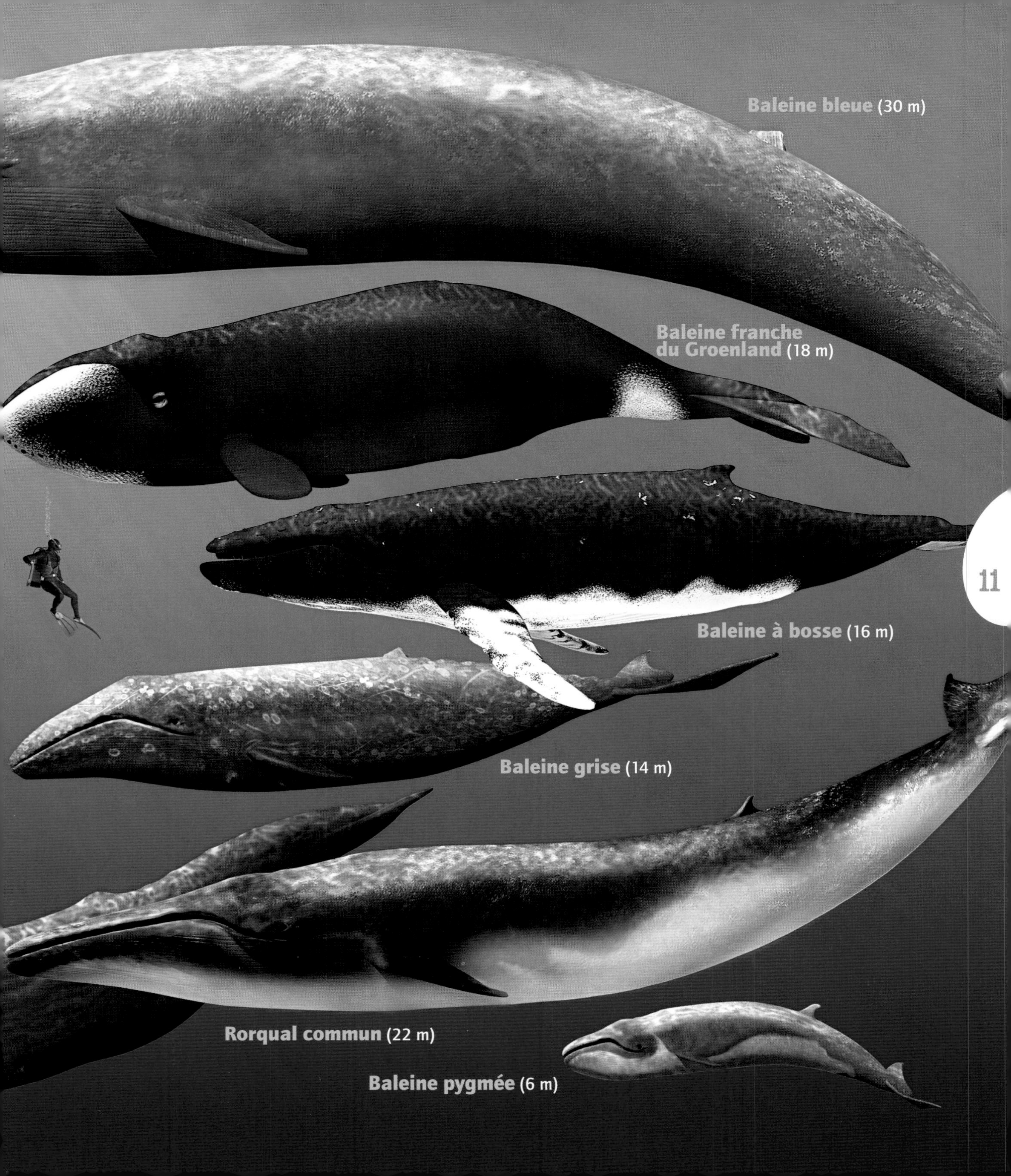

Baleine bleue (30 m)

Baleine franche du Groenland (18 m)

Baleine à bosse (16 m)

Baleine grise (14 m)

Rorqual commun (22 m)

Baleine pygmée (6 m)

Le plus gros animal de la planète

Baleines et cachalot sont des géants. La baleine bleue est même la championne toutes catégories ! C'est le plus gros animal de tous les temps, sur terre comme sous l'eau, aussi loin que l'on remonte dans l'histoire de notre planète !

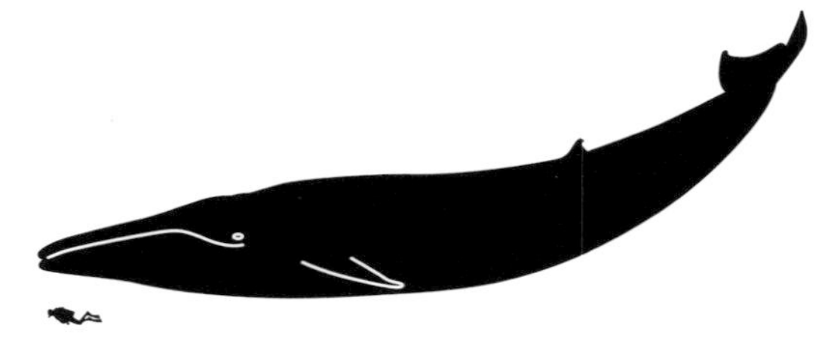

GI-GAN-TES-QUE !

Le plus grand dinosaure, *Argentinosaurus*, mesurait 35 m, pesait plus de 70 tonnes et avait une hauteur comparable à un immeuble de 6 étages ! Son énorme corps était bien lourd à transporter sur terre. La baleine ne connaît pas ce problème car c'est un animal marin dont le corps est porté par l'eau de mer. Elle peut donc peser très, très lourd. La plus grosse baleine mesurée, la baleine bleue, dépassait 33 m et 170 tonnes ! Aussi longue que 18 nageurs à la queue leu leu !

La plus grosse bête mange les plus petites

Les baleines vivent dans toutes les mers du monde, du pôle Nord au pôle Sud. On les rencontre près de certaines côtes : Alaska, Mexique ou Guadeloupe. La plupart vont en été dans les régions froides, riches en nourriture. Elles ne sont pas difficiles, tout ce qui rentre fait ventre : petits poissons (sardines, harengs) et crevettes. Sauf l'énorme baleine bleue qui préfère les crevettes qu'elle engloutit par milliers à chaque bouchée !

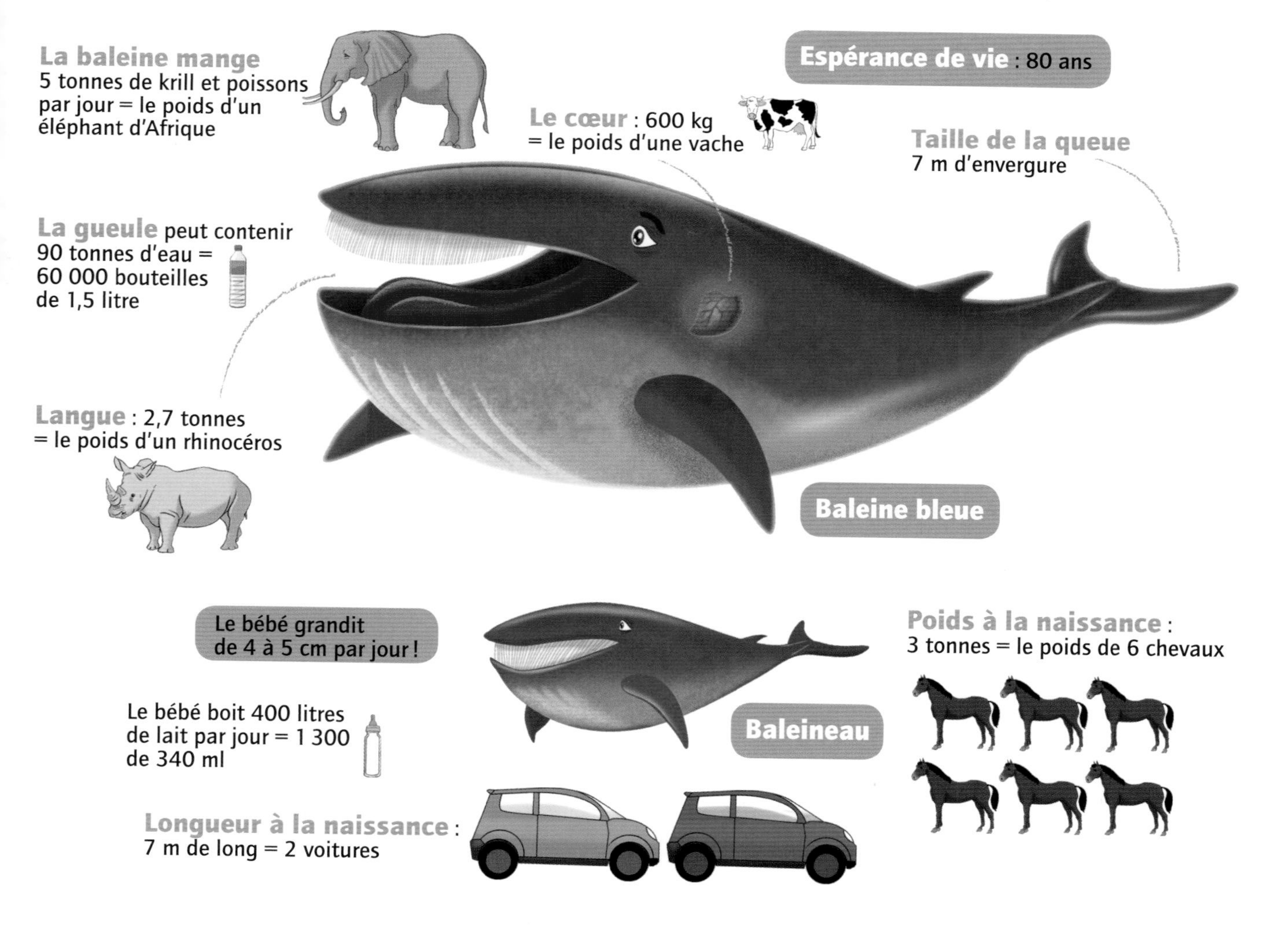

Les maîtres de l'apnée

Baleines et cachalot passent leur vie en mer, comme les poissons. Mais ils ont hérité de leurs lointains ancêtres terrestres une lourde contrainte : après chaque plongée, ils doivent revenir à la surface de la mer pour respirer à l'air libre.

Manger ou respirer

Les cétacés respirent de l'air avec leurs poumons, comme tous les mammifères. Mais leurs proies se trouvent à des dizaines de mètres sous la surface des océans. Celles du cachalot sont même à plus de 1 km ! Ils doivent donc plonger pour se nourrir en faisant de longues apnées, c'est-à-dire en retenant leur respiration.

Parmi les cétacés, le cachalot est le roi de l'apnée. Il descend à 2 000 m de profondeur et reste plus de 1 h 30 sans respirer ! Les baleines plongent généralement vers 200 m pendant quelques dizaines de minutes maximum.

Des réserves d'oxygène

Pour réussir ces exploits, le cachalot est celui qui possède les astuces les plus étonnantes. Lorsqu'il respire en surface, il emmagasine de grandes provisions d'oxygène dans son sang et ses muscles, qui peuvent en stocker bien plus que les nôtres. En plongée, les muscles utilisent directement leurs réserves. Et le sang ne circule plus que dans le cerveau et le cœur pour leur apporter l'oxygène nécessaire à leur fonctionnement. Enfin, le cachalot ralentit considérablement les battements de son cœur.

Le souffle du cachalot part en oblique vers la gauche, alors que celui de la baleine bleue (*à gauche*) monte droit jusqu'à 10 m de hauteur.

Des poumons bien protégés

Chez le cachalot, l'ensemble des côtes qui entourent les poumons, ou cage thoracique, est maintenu par des muscles très puissants. C'est un atout indispensable. Car plus on descend sous la surface et plus la pression augmente. À 2 000 m de profondeur, la pression est 200 fois plus forte qu'en surface. Elle écraserait les poumons du cachalot s'il ne possédait pas de muscles puissants pour résister.

La baleine à bosse remonte vers la surface pour respirer.

Une respiration volontaire

Dernière adaptation : la baleine respire quand elle le veut. Elle peut donc bloquer sa respiration sans problème, le temps de sa plongée. L'homme, au contraire, respire instinctivement : il doit lutter contre son envie de respirer pour tenir longtemps sous l'eau. Il lui faut des années d'entraînement pour y parvenir. Enfin, l'évent de la baleine se ferme pendant la plongée. L'eau ne pénètre donc pas dans ses narines.

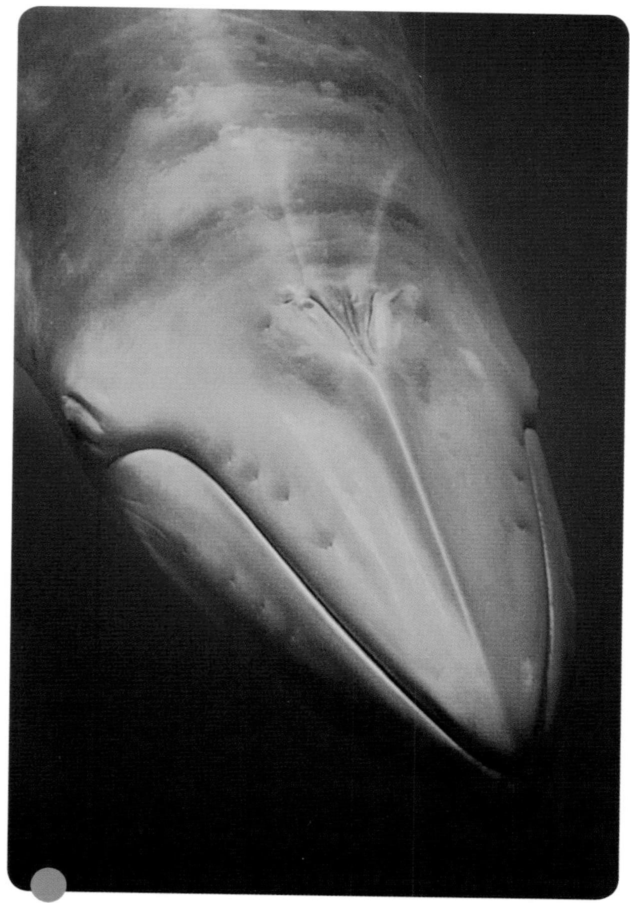

Les deux évents sont les narines que la baleine ouvre bien grands pour aspirer l'air frais (*photo du haut*). En plongée, les baleines ferment leurs évents pour que l'eau ne rentre pas dans leurs narines.

Le festin de la baleine

Les géantes des mers engloutissent chaque jour des tonnes de poissons et crevettes. Elles ouvrent une gueule immense, et avalent de monstrueuses bouchées. Chaque espèce a sa tactique pour capturer ses proies. Mais toutes utilisent la même technique : filtrer l'eau de mer à travers leurs fanons.

Une gigantesque bouchée

Dans les océans, les petits poissons et les crevettes se rassemblent par milliers pour mieux échapper à leurs prédateurs. Serrés les uns contre les autres, ils forment un "banc". La baleine en profite car, contrairement aux thons et aux requins qui mangent les poissons un à un, elle engloutit le banc en entier dans sa gorge qui fait un tiers de son corps !

Les baleines à bosse surgissent côte à côte, gueules grandes ouvertes, pour engouffrer des poissons. Quelques-uns s'échappent en sautant hors de l'eau.

Des fanons pour filtrer

Dès qu'elle a repéré ses proies, la baleine plonge, ouvre largement sa gueule et passe à travers le banc. Puis elle referme ses mâchoires en enfermant une gigantesque gorgée d'eau de mer pleine de poissons. Sa gorge, qui est plissée en accordéon au repos, se déplie et se gonfle comme un ballon plein d'eau. La langue entre ensuite en action. Elle repousse l'eau vers l'extérieur et la fait passer entre les fanons qui pendent à la mâchoire supérieure, un peu comme si tu repoussais l'eau de ta bouche en la faisant passer entre tes dents. Les fanons retiennent les crevettes et les poissons. Quand la baleine a vidé toute l'eau, il ne lui reste plus qu'à avaler les proies qui sont restées piégées dans sa gueule.

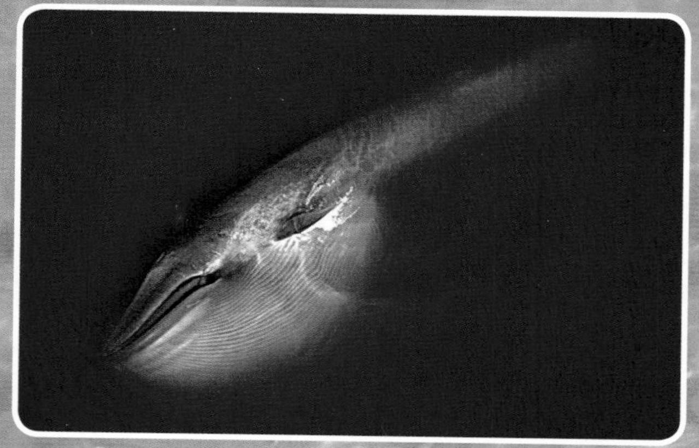

Un cercle de bulles

La plupart des baleines se nourrissent seules. Mais, près des côtes de l'Alaska, les baleines à bosse chassent en petits groupes en utilisant une technique particulière : le filet de bulles. L'une d'elles fait un large cercle autour du banc en libérant des chapelets de bulles. Le banc se retrouve alors piégé par le cercle de bulles, comme s'il était pris dans un filet. Puis une autre baleine pousse une longue plainte sourde, suivie de cris de plus en plus aigus. C'est le signal. Toutes les baleines se rassemblent sous les poissons piégés par les bulles et remontent à la verticale, côte à côte, gueules ouvertes. Au passage, elles avalent tous les poissons, même ceux qui tentaient de s'échapper en sautant hors de l'eau !

Différentes techniques

Parfois, les bancs sont en surface. La baleine nage alors au ras de l'eau, en se couchant sur le côté (*photo ci-dessus*), et l'on peut apercevoir sa large gorge gonflée d'eau lorsqu'elle referme sa bouche. La baleine grise, elle, préfère les animaux qui vivent sur le fond de la mer. Elle fouille le sable avec sa mâchoire et le fait passer entre ses fanons pour récupérer coquillages, crustacés et vers qui y vivent enfouis (*voir p. 33*).

Une baleine à bosse vient de faire un cercle de bulles qui emprisonne un banc de poissons.

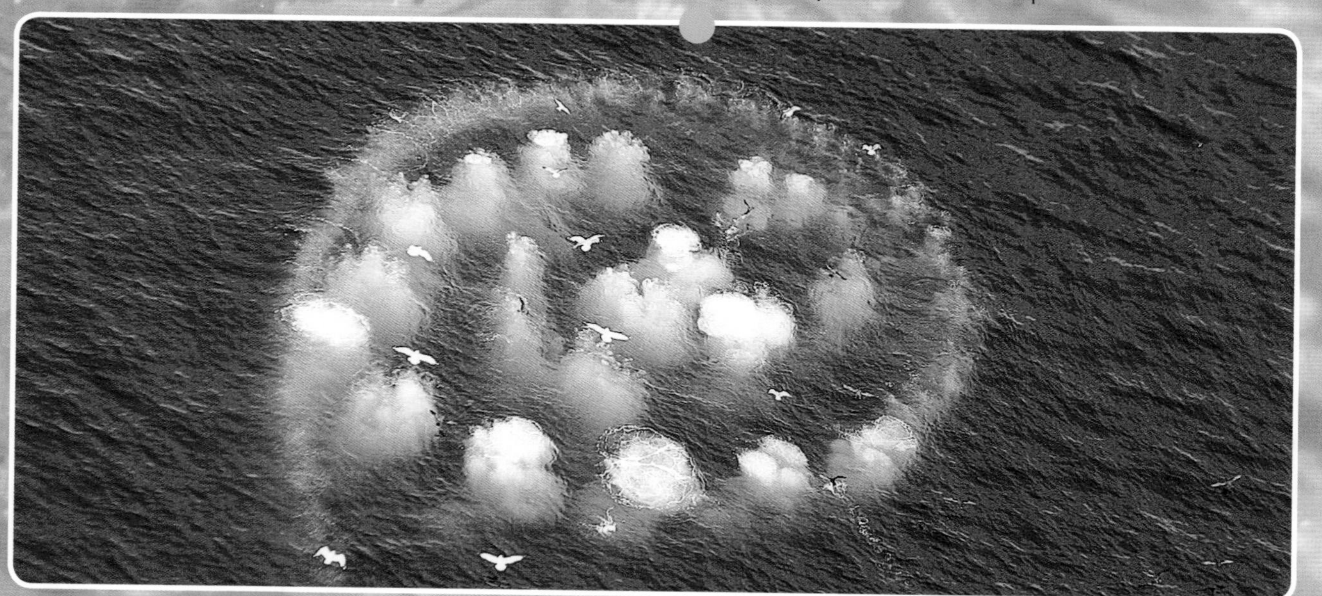

La chasse du cachalot

Le cachalot plonge à plus de 1 000 m dans les profondeurs des océans. Là-bas, la nuit règne en permanence, la pression est insoutenable pour les êtres humains. Là-bas, pourtant, se trouve son garde-manger. Mais personne ne l'a vu chasser. Le repas du cachalot est encore très mystérieux...

Dans les ténèbres des abysses

Dans la mer des Caraïbes, près de l'île de la Guadeloupe, les cachalots sont en chasse. Après 10 minutes de respiration à la surface de la mer, l'un d'eux plonge. Son dos s'arrondit, sa queue se dresse hors de l'eau et disparaît... pour une plongée de 1 heure, sans respirer ! Le cachalot s'enfonce à la verticale. Il descend sans perdre de temps. Il doit nager plus de 1 km pour atteindre les abysses, où vivent les calmars qu'il recherche. La lumière diminue vite. À 200 m, il fait déjà nuit noire. Ce n'est pas un souci car il ne chasse pas à vue. Il chasse au radar.

Voir avec ses oreilles

Il lance de petits cris aigus "clic, clic, clic" qui se propagent très loin dans l'eau. Lorsque ces cris rencontrent un animal, ils rebondissent et reviennent vers le cachalot, comme l'écho de ta voix est renvoyé par la falaise. Cet écho lui indique la taille du calmar, la distance à laquelle il se trouve, et s'il est solitaire ou en groupe. C'est comme s'il "voyait" avec ses oreilles ! Le cachalot n'a plus qu'à foncer, gueule ouverte, en continuant à envoyer des clics pour ne pas perdre sa proie des oreilles !

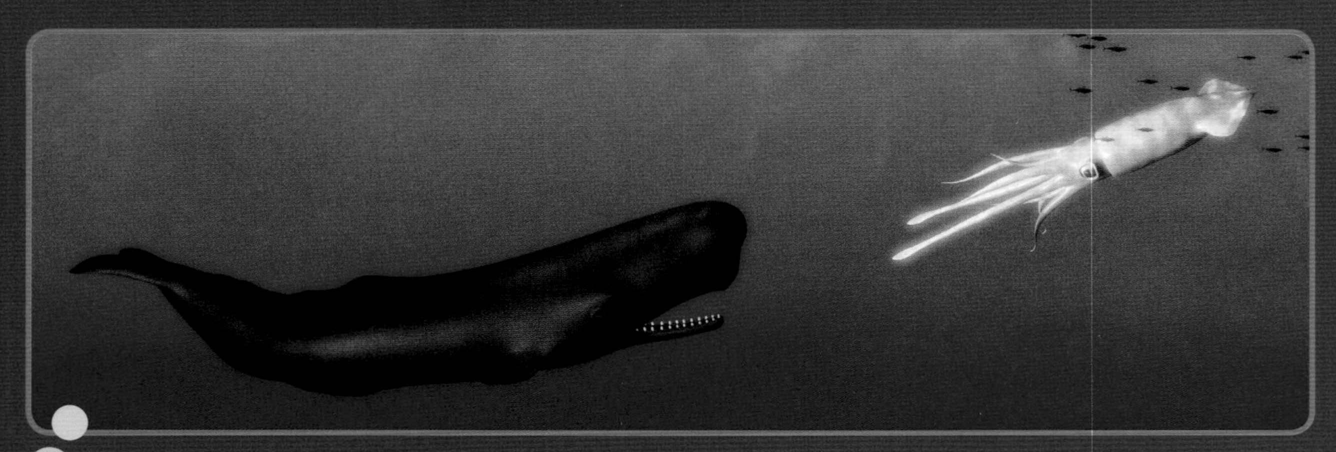

Les cachalots préfèrent les calmars. Mais ils ne refusent pas les requins et les raies qu'ils trouvent dans les abysses. Ni même les calmars géants qu'ils rencontrent parfois. On a retrouvé un spécimen entier de 11 m de long dans l'estomac de l'un d'entre eux !

Des milliers de kilomètres

Les baleines sont de grandes voyageuses. Elles parcourent chaque année des milliers de kilomètres à travers les océans, depuis les régions froides où elles se nourrissent jusqu'aux régions chaudes où elles donnent naissance à leurs petits.

La moitié du tour du globe

18 000 km ! C'est la distance incroyable que la baleine à bosse peut faire en un an. Un parcours aussi vaste que la distance entre la France et l'Australie ! La baleine grise effectue aussi un grand périple, le long des côtes de l'Amérique du Nord. Les deux sont des nageuses infatigables, ce sont des championnes parmi les baleines ! Les autres espèces font des trajets moins longs. Mais toutes se déplacent : elles font des migrations.

Un garde-manger dans le Grand Nord

Au printemps, les baleines à bosse de l'hémisphère nord quittent les régions tropicales pour rejoindre les régions polaires. Là-bas, dans les eaux froides du Grand Nord, elles se délectent d'énormes bancs de poissons et de crevettes. Elles passeront tout l'été à manger, et encore manger ! Car elles n'ont que trois mois pour emmagasiner de grosses réserves de graisse. Ensuite, elle ne mangeront plus et devront vivre sur leurs stocks pendant 9 mois !

Une pouponnière dans les tropiques

En automne, ces baleines à bosse retournent dans les régions tropicales. Elles mettent le cap vers le sud. Dans quelques mois, leur bébé va naître. Il faut qu'elles aient atteint ces contrées clémentes où le nouveau-né grandira au chaud. À sa naissance, il n'a pas encore la couche de graisse qui le protège du froid. Mais, bien nourri par le lait très gras que sa mère lui donne en abondance, il fera vite ses propres réserves. À 6 mois, il sera prêt à suivre le groupe pour sa première grande migration vers les eaux froides où il goûtera son premier festin de poissons.

La baleine nourrit son bébé pendant tout le voyage avec un lait épais qu'elle envoie par petits jets.

La petite baleine à museau pointu est une nomade des mers du sud.

De l'autre côté de la Terre

Dans l'hémisphère sud, de l'autre côté de l'équateur, d'autres baleines à bosse font les mêmes migrations. Mais avec un décalage de 6 mois, car les saisons sont inversées : elles arrivent en Antarctique en décembre et reviennent vers les régions tropicales en juin.

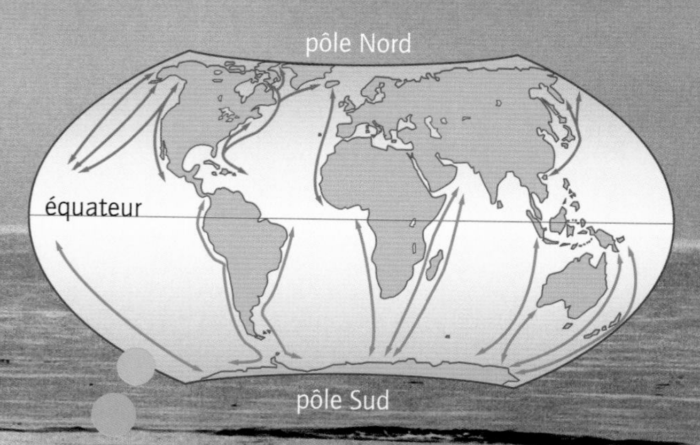

Les baleines font chaque année un immense trajet aller-retour entre les régions polaires et l'équateur.
routes suivies par les baleines du nord
routes suivies par les baleines du sud

La première respiration

Dans les eaux tièdes de l'océan Pacifique, un baleineau vient de naître. Avec une infinie douceur, sa mère le maintient à la surface. Porté par l'immense museau, le nouveau-né prend sa première respiration à pleins poumons et découvre ce monde marin qui va devenir le sien.

Un lagon chaud pour berceau

Chaque année, les baleines à bosse se rassemblent dans les lagons des îles tropicales pour donner naissance. Dans les eaux bien abritées des tempêtes du large, les bébés pourront grandir à l'abri des prédateurs.

Vite, respirer !

Le baleineau sort la queue la première, comme tous les cétacés, et contrairement aux autres mammifères qui naissent tête première. Le cordon ombilical qui le relie à sa mère (et qui a servi à le nourrir quand il était dans son ventre) se rompt. Aussitôt, la mère soulève délicatement son nouveau-né et le maintient à la surface de la mer pour qu'il prenne sa première bouffée d'air.

Bien entouré

Le bébé est presque blanc et bien maladroit. Mais une heure plus tard, il sait déjà nager. Il est très entouré. Sa mère, parfois assistée d'une femelle sans petit, l'aide à nager et à remonter pour respirer. Car dans l'océan, il n'y a pas d'abri, pas tanière où se réfugier. Le petit ne peut compter que sur l'aide des femelles pour le protéger.

Une croissance record

La baleine a un petit tous les 3 ans seulement. Elle le porte dans son ventre pendant 11 mois. Puis elle l'allaite pendant encore 1 an. À raison de 500 litres par jour de lait gras et épais, le baleineau grandit vite. Il le faut. Il aura à peine 6 mois lorsqu'il fera sa première migration vers les régions polaires (voir p. 20-21).

Le chant de la baleine

Les océans ne sont pas le "monde du silence", comme on le croyait autrefois. Les animaux sont bruyants : ils envoient sans cesse des messages. Ils chantent, ils crient, ils font des bruits. Baleines et cachalot sont parmi les plus bavards !

Se parler à travers les océans

Dans l'immensité des océans, les baleines se dispersent en quête de nourriture. Rapidement, elles ne se voient plus, mais elles restent en contact grâce à leurs chants. Car l'eau de mer transmet les sons quatre fois mieux que l'air. Elle les transporte sur de grandes distances.

Les sons les plus graves sont ceux qui vont le plus loin. Les baleines envoient donc des appels très graves et très forts, plus graves et plus forts que la sirène d'un cargo. La baleine bleue possède même la voix la plus puissante de la planète. On l'entend à des centaines de kilomètres !

L'eau est souvent trouble et sombre. On ne voit pas très loin. Aussi les baleines se reconnaissent-elles à leur voix.

À chacun son langage, des chants ou des clics

Chaque espèce a son propre langage, comme chaque peuple humain a sa langue. La baleine bleue ne chante pas comme la baleine à bosse. Et, plus étonnant encore, ses vocalises varient selon la région où elle habite : on parle de "dialectes". Il existe 9 dialectes différents chez les baleines bleues ! Le cachalot, quant à lui, a un langage particulier. Il émet des "clics" semblables à des claquements de langue. Les enregistrements indiquent que chaque groupe de cachalots aurait ses propres séries de clics, ce qui leur permettrait de se reconnaître entre eux.

À l'école des baleines

Le baleineau apprend le langage de son groupe avec sa mère et les autres adultes. Il lui faut du temps pour le mémoriser et le reproduire. Car les chants sont complexes. Ils comportent plusieurs phrases musicales qui se combinent pour former les différentes mélodies.

Un chant pour séduire

Pour la baleine à bosse, le chant accompagne la parade amoureuse. Les mâles lancent leur mélopée pour courtiser la femelle. Mais ils chantent aussi pour avertir les autres mâles. En position verticale, tête en bas pour que les récifs de coraux renvoient leur message à la ronde, ils indiquent que la femelle est prise. Gare à celui qui s'approchera d'elle !

Elle saute, elle joue, elle danse

Les baleines se livrent à toutes sortes de démonstrations. Elles sautent. Elles roulent sur elles-mêmes, elles frappent l'eau de leurs nageoires. Agressifs ou tendres, ces gestes sont toujours spectaculaires.

Les scientifiques essaient de comprendre, ils proposent des explications, mais personne ne sait vraiment le sens de toutes ces manifestations qui ont beaucoup impressionné les navigateurs d'autrefois.

La baleine à bosse est spécialiste des grands bonds. Elle développe une puissance formidable pour propulser son énorme corps. On ignore la raison de ces sauts qu'elle répète plusieurs fois par jour. Certains scientifiques pensent qu'elle se débarrasse des parasites qui s'accrochent à sa peau. Pour d'autres, il s'agirait d'un jeu.

Les nageoires pectorales de la baleine à bosse sont immenses. Elles font le tiers de son corps ! C'est pourquoi on l'appelle "mégaptère" : la baleine aux grandes ailes. Parfois, elle frappe la surface de l'eau avec ses nageoires. Couchée sur le dos, elle dresse la nageoire droite vers le ciel, puis la gauche, et les fait retomber l'une après l'autre en faisant beaucoup de bruit et d'éclaboussures.

D'autres fois, la baleine donne un fort coup de sa nageoire caudale. Il s'agit peut-être d'un signal pour alerter les autres membres du groupe.

Autre comportement étrange : la baleine sort lentement sa tête, bien au-dessus de l'eau, reste un moment ainsi, puis se laisse glisser à nouveau sous l'eau. Elle donne l'impression de regarder attentivement autour d'elle, aussi les chercheurs parlent-ils de *spy hopping*, car *spy* signifie "espion" en anglais.

Près des îles tropicales où elles mettent bas, les baleines se livrent à de véritables danses. Des pirouettes, de grands cercles le dos cambré pour remonter en surface, des ondulations... Leurs ballets aquatiques sont tout en grâce et en douceur. Et d'une extrême précision : jamais l'une d'elles n'a heurté le plongeur qui les observait !

Carte d'identité

À première vue, toutes les baleines d'une même espèce se ressemblent. Et pourtant, les scientifiques ont noté de petites différences dans la forme de la queue et dans le dessin des taches claires. À l'aide de ces indices, ils dressent la "carte d'identité" de chaque baleine.

Lorsque les **baleines à bosse** plongent, elles soulèvent leur nageoire caudale au-dessus de l'eau. Parfois, elles restent tête en bas, queue hors de l'eau, à somnoler, comme celle-ci. En les observant, les biologistes ont remarqué que chacune possède une queue un peu différente des autres.

En notant la forme de leur queue et la couleur de leur robe, les scientifiques dressent une "**carte d'identité**" qui leur permet de reconnaître à coup sûr chaque baleine. Ils savent avec qui elle voyage, avec qui elle partage la journée. Ils établissent aussi la structure familiale et disent qui est la fille, qui est la grand-mère. Comment les groupes se séparent, comment ils se reforment chaque année. Ainsi, ils peuvent raconter l'histoire des baleines à bosse.

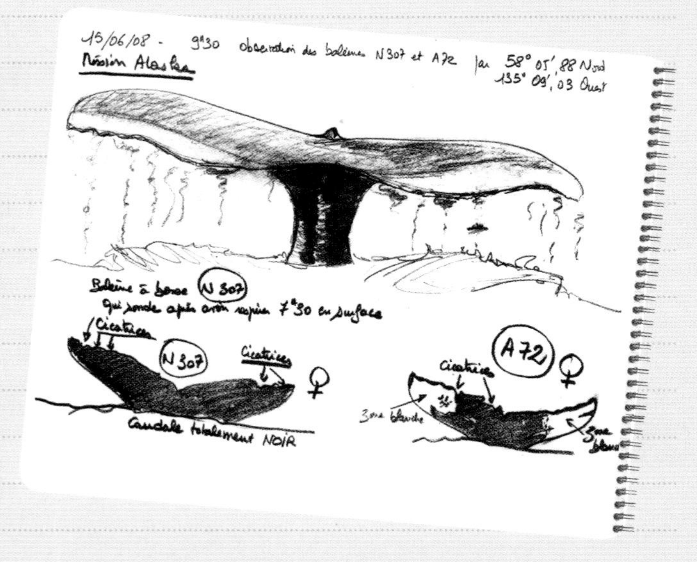

En comparant ces photos, on voit bien les différences ! Pour identifier chaque baleine, les scientifiques dessinent sur un carnet la forme de la **nageoire caudale**, la place et la forme des taches blanches. Ils ajoutent les cicatrices qui font des zébrures. Ils notent enfin les encoches qui découpent le bord de la queue et qui sont dues à de petits animaux parasites, les pennelles.

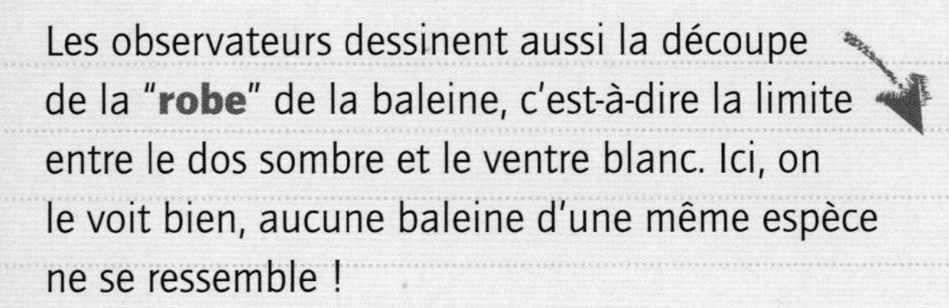

Les observateurs dessinent aussi la découpe de la "**robe**" de la baleine, c'est-à-dire la limite entre le dos sombre et le ventre blanc. Ici, on le voit bien, aucune baleine d'une même espèce ne se ressemble !

Le rorqual commun

« Le meilleur endroit pour observer les rorquals communs est... ma fenêtre ! » disait le prince Albert Ier de Monaco ! Car, au début du XXe siècle, les rorquals étaient si nombreux qu'il les apercevait du musée océanographique de Monaco.

Petit frère de la baleine bleue

Le rorqual commun atteint 22 m et 75 tonnes. Il est le deuxième plus grand animal au monde, après la baleine bleue, appelée aussi rorqual bleu. Les deux espèces se ressemblent beaucoup. Elles ont un corps très allongé, un museau pointu, de petites nageoires pectorales et un aileron situé très en arrière sur le dos. Mais le rorqual commun se distingue par sa mâchoire inférieure à deux couleurs : elle est blanche à droite et grise à gauche.

On reconnaît le rorqual commun à sa mâchoire inférieure qui est blanche sur le côté droit.

Il est très rare que le rorqual commun saute hors de l'eau, contrairement à la baleine à bosse.

La seule baleine à fanons de Méditerranée

Le rorqual commun préfère les eaux tempérées et reste plutôt loin des côtes. Il habite dans tous les océans du monde, et même en mer Méditerranée où on l'observe depuis l'Antiquité. Il fut la première baleine décrite par Aristote, quatre siècles avant Jésus Christ !

En été, ce gros mammifère se délecte des bancs de petites crevettes au large des côtes françaises. Il ne va pas les chercher au-delà de 100 m de profondeur. Après quelques minutes de respiration en surface, il plonge pour 5 à 15 minutes. Lorsqu'il s'enfonce, il arrondit son dos, mais il ne soulève presque jamais sa queue vers le ciel, contrairement à la baleine bleue. Lorsqu'il chasse, le rorqual nage lentement, à quelques kilomètres par heure. Mais il peut faire des pointes à 40 km/h. Il soulève alors, à chaque respiration, de grandes vagues d'écume qui se voient de loin.

Les biologistes ont été intrigués par ce jeune rorqual commun. Alors qu'ils le suivaient en bateau, il s'est soudain retourné, ventre en l'air, et il a nagé pendant plusieurs minutes... à l'envers ! Pourquoi ? Mystère !

NOM : rorqual commun
TAILLE : 22 m
POIDS : 75 tonnes
SIGNE PARTICULIER : malgré l'arrêt de la chasse, il risque encore de disparaître.

La baleine grise

Avec sa peau couverte de parasites et sa bouche arquée, la baleine grise de Californie ne ressemble à aucune autre. C'est une originale qui passe sa vie près des côtes et se nourrit sur le fond des océans.

Une baleine à part

Dans son aspect comme dans son mode de vie, la baleine grise accumule les originalités. Son corps est plus massif que celui des rorquals. Il est couvert de cicatrices, de marbrures claires et de petits crustacés parasites, alors que les autres baleines ont une peau lisse. Son dos est surmonté d'une série de bosses et ne porte pas d'aileron dorsal. Sa bouche, arquée vers le bas, est garnie de fanons grossiers et courts de 50 cm seulement.

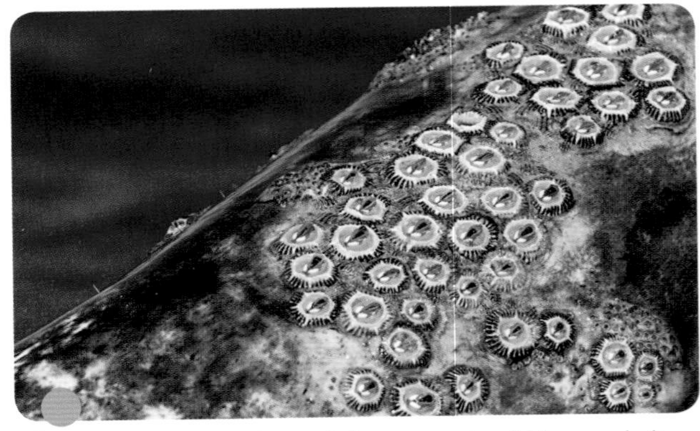

Chaque petit volcan abrite un crustacé blanc qui vit accroché à la peau de la baleine.

Le fond de la mer pour assiette

La baleine grise se distingue aussi par la manière de se nourrir. C'est la seule à rechercher les animaux qui vivent sur le fond des mers.
À chaque plongée, elle fouille le sable avec sa mandibule et l'aspire dans sa bouche. Puis elle fait passer le mélange de sable et d'eau de mer à travers ses robustes fanons pour récupérer les crustacés et les vers qu'elle a délogés. Parfois, elle se tient immobile, face au courant, gueule ouverte, et filtre l'eau de mer sur ses fanons qui retiennent les petits animaux du plancton.

Une star du *whale-watching*

C'est dans les lagunes, qui bordent le désert du Mexique, que l'on peut observer le plus facilement les baleines grises. Elles sont très actives pendant la saison des amours. On peut les voir sauter, donner des coups de queue ou sortir longuement la tête hors de l'eau pour inspecter les environs. On en a même aperçu qui surfaient sur les vagues !

Des voyages records

Grande voyageuse, comme la baleine à bosse, la baleine grise fait de longues migrations dans l'océan Pacifique. Chaque année, elle effectue un aller-retour de près de 20 000 km le long de la côte des États-Unis ! Son emploi du temps est bien réglé. Elle passe l'été en Alaska, à festoyer toute la journée pour faire de grandes réserves de graisse, et l'hiver, dans les lagunes chaudes de la côte du Mexique où elle se reproduit. Elle donne naissance à un bébé tous les 2 ou 3 ans qu'elle allaite pendant 7 à 9 mois.

NOM : baleine grise de Californie
TAILLE : 12 à 15 m
POIDS : 25 à 35 tonnes
SIGNES PARTICULIERS : sauvées ! Protégées depuis 1946, les baleines grises sont aussi nombreuses qu'avant le début de la chasse industrielle.

Le cachalot

Les cachalots vivent en groupes très unis. Ils se touchent, se caressent, roulent sur eux-mêmes, se parlent. Et forment un cercle défensif autour des petits à la moindre alerte.

Le plus grand carnivore

Le cachalot serait le plus grand carnivore qui ait jamais existé sur Terre, dinosaures compris ! Le mâle atteint 18 m pour 50 tonnes et il se reconnaît à son énorme tête carrée qui pourrait contenir une voiture ! Son évent, unique, s'ouvre à l'avant de la tête, légèrement sur la gauche et non au sommet comme chez les baleines. Lorsqu'il respire, le souffle est donc penché vers l'avant gauche. Sous la tête, se cache une mâchoire fine, ourlée de blanc, et hérissée de 40 à 50 dents toutes identiques. Le cachalot n'a pas de dents à la mâchoire supérieure.

Des mâles solitaires

Les femelles et leurs petits vivent dans les régions tempérées et chaudes de tous les océans, jusqu'en mer Méditerranée. Ils forment des groupes stables de 10 à 20 individus. Les mâles adultes, au contraire, sont solitaires. Ils passent de groupe en groupe, à la saison des amours, pour tenter de séduire une femelle et s'accoupler.

Les cachalots aiment se frotter les uns contre les autres, avec une grande délicatesse. Ces contacts répétés semblent très importants pour unir le groupe.

Des femelles attentionnées

Lorsqu'une mère part chasser les calmars dans les grandes profondeurs, elle laisse son petit en surface. Mais il ne craint rien car, pendant son absence, les autres femelles le surveillent. En cas de danger, lorsque des orques tentent de s'approcher, elles se mettent autour de lui en "marguerite", queue pointée vers l'extérieur, prêtes à donner des coups de queue pour repousser les prédateurs.

Le bébé est plus clair. Il tête sa mère pendant 2 à 3 ans et reste avec elle une dizaine d'années. La femelle a un bébé tous les 4 à 6 ans seulement.

Besoin de caresses

Les cachalots ont une peau sensible, comme tous les cétacés. Le toucher est très important pour eux. Chaque jour, après les longues plongées dans les grands fonds, ils se rassemblent, ils se frottent les uns aux autres et se caressent avec tout le corps. Ces contacts étroits semblent jouer un rôle très important dans la société des cachalots. Et ils se parlent dans un curieux langage fait de petits claquements.

NOM : cachalot
TAILLE : femelle, 12 m ; mâle, 18 m
POIDS : femelle, 20 tonnes ; mâle, 50 tonnes
SIGNE PARTICULIER : un gros qui aime les caresses !

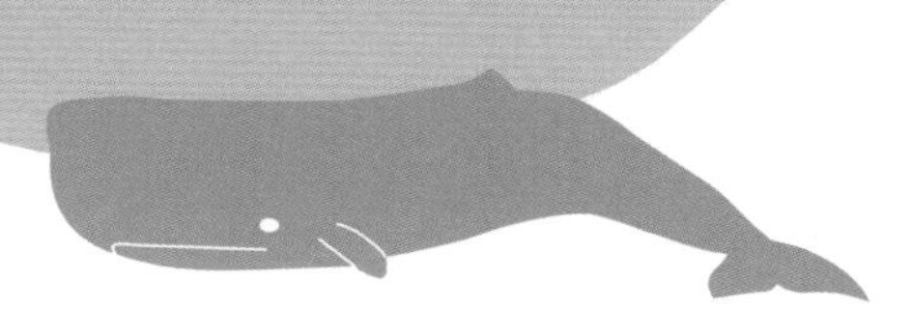

Mythes et légendes

Bien avant la chasse, les océans étaient remplis de baleines. Leur souffle puissant, leurs sauts et leur masse imposante ont impressionné les hommes. Certains peuples en ont fait des monstres terrifiants. D'autres des dieux. Tous ont inventé des légendes extraordinaires.

Grande comme une île

Les marins européens rapportaient de leurs lointains voyages des histoires terrifiantes. Ils parlaient de géants maléfiques qui menaçaient de faire chavirer leur navire. Quelques-uns, en revanche, racontaient une histoire bien étrange. Un jour, ils auraient aperçu un grand banc de sable. Pensant qu'il s'agissait d'une nouvelle île, ils jetèrent l'ancre et débarquèrent sur la plage pour festoyer. Ils allumèrent un grand feu quand, soudain, l'île se mit à bouger ! Les marins, effrayés, eurent juste le temps de remonter à bord avant que l'île disparaisse dans l'eau... Car ce qu'ils avaient pris pour une île était en réalité une gigantesque baleine !

À l'origine des tempêtes

Les anciens Chinois pensaient que la mer était le royaume de Yu-kiang, le dieu des eaux. Ce dieu avait un corps de poisson et chevauchait deux dragons. Mais ce n'était pas un poisson, c'était un Kouen, une immense baleine des mers du nord. Parfois, le Kouen se mettait en colère, il se transformait en oiseau gigantesque et surgissait des vagues en soulevant d'abominables tempêtes. C'est ainsi que les Chinois expliquaient la formation des ouragans qui balaient régulièrement leurs côtes.

La création du monde Maori

De l'autre côté de la Terre, en Nouvelle-Zélande, les premiers peuples Maoris racontaient une toute autre histoire. Un jour, disaient-ils, le demi-dieu Maui partit à la pêche en plein océan. Au bout d'un moment, il attrapa une grosse prise qui tirait très fort. Maui senti que ce n'était pas un simple poisson. Avec l'aide de son frère, et après avoir longtemps lutté, il finit par tirer hors de l'eau "Te ika a maui", la baleine, qui devint l'île du Nord de la Nouvelle-Zélande. Sa barque "Te Waka a Maui" devint l'île du Sud. C'est ainsi que les Maoris racontent comment sont nées les deux grandes îles qui forment leur pays.

La chasse à la baleine

Pendant longtemps, les hommes ont chassé les baleines en petit nombre, sans mettre les espèces en danger. Mais, à partir du XVIIe siècle, la chasse est devenue industrielle. Elle a traqué les baleines jusque dans leurs derniers refuges, si bien qu'elles ont failli disparaître.

Une chasse artisanale

Il y a 4 000 ans, les peuples de Norvège chassent déjà la baleine. Il y a 1 000 ans, en Alaska, au Canada et au Japon, on dépèce les animaux qui s'échouent parfois sur la plage. Les chasseurs embarquent pour harponner les baleines que les guetteurs ont aperçues du haut des collines. Les plus célèbres sont les Basques qui vivent à la frontière entre la France et l'Espagne. La baleine franche qu'ils chassent s'appelle d'ailleurs la baleine des Basques. Rapidement, les Basques vont de plus en plus loin, jusque dans les glaces du Groenland. Ils sont les premiers à transformer la chasse à la baleine en une industrie.

L'invention du canon lance-harpon et des bateaux rapides a rendu les baleiniers très efficaces. Même la grande baleine bleue, qui peut faire des pointes à 50 km/h, ne pouvait plus leur échapper.

La chasse s'organise

À partir du XVIIe siècle, les navires baleiniers sillonnent les océans. Ils s'aventurent même jusque dans les mers polaires. Pourtant, la chasse est risquée. Les marins doivent s'approcher des baleines en canot et les harponner à la main. Certains meurent noyés car, en se débattant, l'animal fait chavirer les barques. En 1868, un Norvégien invente le canon lance-harpon. C'est un tournant décisif. On peut désormais tuer les baleines facilement et sans risque depuis les grands navires. Dans le même temps, les bateaux deviennent des usines où les marins découpent rapidement de nombreux animaux.

Le massacre

Au cours du XXe siècle, le nombre de baleines tuées monte en flèche : 1 500 baleines par an en 1890, 10 000 en 1910, 65 000 en 1960 ! Les populations s'effondrent, on a trop chassé... jamais plus les navires baleiniers ne pourront capturer autant d'animaux malgré tous leurs efforts. Toutes les espèces sont menacées de disparition.

La Norvège, le Japon et l'Islande sont les trois pays qui continuent à chasser les baleines aujourd'hui .

Pour quelques barils d'huile

Toute cette barbarie pour récupérer l'épaisse couche de graisse de la baleine ! Fondue, celle-ci fournissait l'huile des lampes à huile car, au XIXe siècle, l'électricité n'existait pas. Le cachalot, lui, était surtout chassé pour le spermaceti contenu dans sa tête, une huile utilisée pour les mécanismes de précision. Les fanons souples renforçaient les parapluies et les corsets des femmes.

La viande des baleines chassées par les Japonais est vendue en conserves.

Enfin protégées !

Tous les pays ont arrêté la chasse à la baleine. Tous, sauf trois qui continuent sous de faux prétextes et incitent les autres à reprendre. Mais il faut tenir bon, et protéger ces fabuleuses créatures dont la beauté sauvage fait tant rêver.

Alerte

Au lendemain de la Seconde Guerre mondiale, la chasse à la baleine ne se justifie plus. L'électricité et le pétrole éclairent depuis longtemps les villes. On ne capture plus assez d'animaux pour que les campagnes de chasse soient rentables. Pourtant la chasse continue. Les scientifiques alertent le monde : partout les baleines deviennent de plus en plus rares.

La plus menacée

Les baleines bleues sont toujours les plus menacées. Elles étaient 300 000 avant le début de la chasse industrielle. Aujourd'hui, elles seraient environ 15 000, réparties dans tous les océans. Si on ne continue pas à les protéger, elles disparaîtront.

Heureuse rescapée

Au XIXe siècle, le capitaine américain Scammon découvre que la baleine grise met bas dans les lagunes du Mexique. Pendant des années, il revient la tuer par centaines. Heureusement, dès 1937, le gouvernement mexicain décide de la protéger. Aujourd'hui, les baleines grises sont à nouveau aussi nombreuses que jadis.

Le moratoire, qui protège les baleines depuis 1986, autorise un petit nombre de captures pour des études scientifiques.

Sauvées !

En 1946, la Commission baleinière internationale (CBI) est créée. Elle est chargée de règlementer la chasse en fixant le nombre de captures autorisées pour qu'il reste assez de baleines. Mais ce nombre est encore trop important. Toutes les espèces sont menacées de disparition... En 1986, sous la pression du public et d'associations de protection de la nature, comme Greenpeace ou Sea Shepherd, la CBI adopte, enfin, un moratoire. Désormais, la chasse est interdite. Il faudra prouver que les populations de baleines ont suffisamment grossi pour que l'on puisse recommencer. Il était temps !

Elles reviennent partout

Aujourd'hui, le miracle s'est produit. On revoit de plus en plus de baleines partout dans le monde. À Madagascar, les femelles viennent mettre bas dans la baie de Sainte-Marie où elles avaient disparu, à tel point que les habitants les avaient oubliées ! À la Réunion, tout près des côtes, on observe désormais les mères avec leurs baleineaux. Les rorquals communs sont bien plus nombreux en Méditerranée. Partout les baleines sont de retour ! Il faut continuer à les protéger.

Mission baleine

Pour mieux connaître les baleines, les biologistes vont les étudier en mer. Photos, comptages, prélèvements, ils multiplient les observations. Année après année, leur patient travail apporte des informations passionnantes.

Des campagnes en Méditerranée
À bord du *Columbus*, les biologistes du WWF-France étudient les deux grands cétacés de Méditerranée : le rorqual commun et le cachalot. Chaque été, ils sillonnent la mer entre la Corse et le continent. Les cétacés se rassemblent dans cette région qui est la plus riche en nourriture.

La recherche
Du lever au coucher du soleil, les observateurs scrutent la mer. Par groupe de trois, ils se relaient toutes les 2 heures à l'avant du bateau. Dès que l'un d'eux aperçoit un souffle, il donne l'alerte. Il note l'heure et la position géographique donnée par le GPS. Et, surtout, il ne le quitte plus des yeux tandis que le bateau fait route vers lui.

L'approche du rorqual

Trois personnes embarquent sur le bateau pneumatique. Leur but : prendre des photos et rapporter un petit morceau de peau. L'approche est délicate car il ne faut pas effrayer les baleines, tout en étant assez près pour envoyer la flèche. Il faut faire vite, le rorqual ne restant que quelques minutes en surface avant de replonger.

Photo identification

Le chevron (le dessin qui se trouve en arrière de la tête) et l'aileron dorsal sont photographiés. Tous deux ont des formes et des couleurs qui permettront d'identifier précisément chaque animal.

Récupération d'un échantillon

La flèche prélève un petit bout de peau et de gras sur le dos de l'animal.

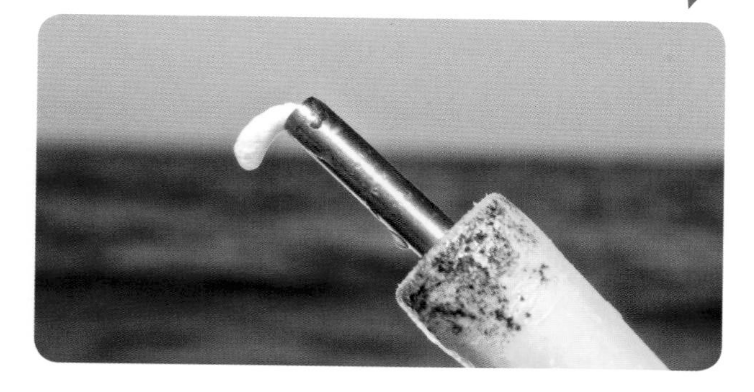

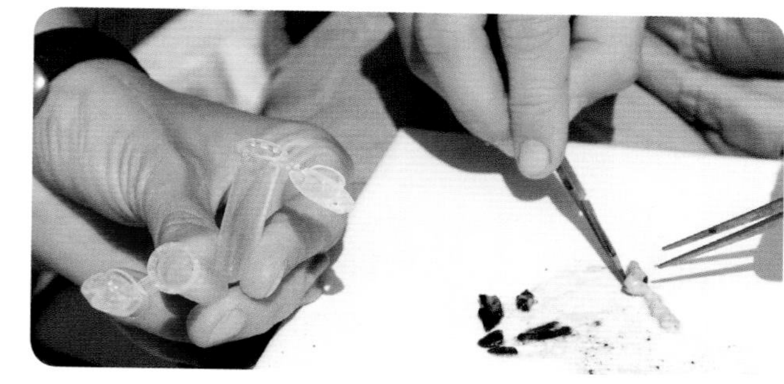

Préparation des échantillons

On sépare délicatement la peau et la graisse : la première sert à établir la carte d'identité de l'animal à partir de l'ADN ; la deuxième est analysée pour rechercher les polluants. L'échantillon permet aussi de savoir s'il s'agit d'un mâle ou d'une femelle, et même si c'est une mère qui attend un bébé !

Le sanctuaire Pelagos

Il s'étend sur 87 500 km^2 entre la Corse et le continent. En 1999, la France, l'Italie et Monaco ont signé un accord qui en fait une zone protégée pour les mammifères marins. On y trouve 7 des 19 espèces de cétacés de Méditerranée.

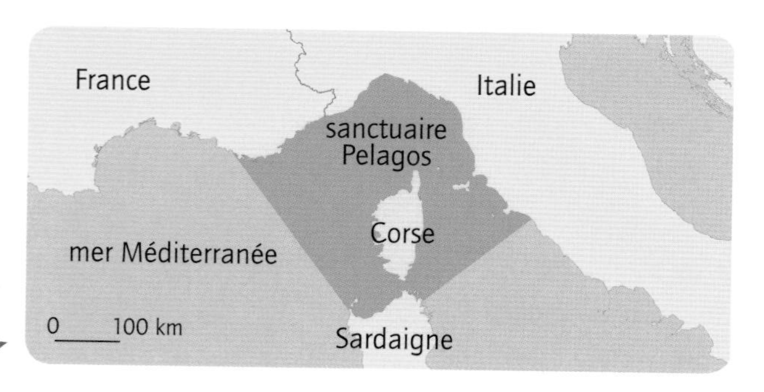

Quiz

À toi de trouver les bonnes réponses
à ces questions.
Un indice : elles sont toutes dans le livre !

1. L'ancêtre des baleines était :
A. un grand poisson cuirassé
B. un serpent marin
C. un petit mammifère terrestre

2. Les baleines appartiennent au groupe des :
A. cétacés
B. poissons
C. reptiles

7. Les évents de la baleine servent à :
A. chanter
B. respirer
C. sentir

8. Quand on plonge en retenant sa respiration, on fait :
A. une apnée
B. une acnée
C. une plongée

9. À quelle profondeur maximum le cachalot plonge-t-il ?
A. 1 500 m
B. 2 000 m
C. 3 500 m

10. Le menu préféré des cachalot
A. des coquillages
B. des crevettes
C. des calmars

15. La baleine grise met ses petits au monde :
A. dans les îles de Polynésie française
B. au large de la Californie
C. dans les îles Caraïbes

16. Pour identifier chaque rorqual commun, on photographie : (attention 2 réponses)
A. les découpes de la queue
B. les marques colorées sur le dos
C. la forme de la gueule
D. la forme de l'aileron dorsal

17. On chasse principalement les baleines au XIXe siècle (attention 3 réponses)
A. pour la viande
B. pour la graisse
C. pour le foie
D. pour la peau
E. pour les fanons

18. Les fanons servaient à faire : (attention 2 réponses)
A. des parapluies
B. des balais
C. des peignes
D. des corsets
E. des passoires

3. **Combien existe-t-il de baleines vraies ou baleines à fanons ?**

A. 10
B. 13
C. 15

4. **Le seul grand cétacé qui a des dents est :**

A. le cachalot
B. le dauphin
C. le rorqual commun

5. **La plus grande baleine est :**

A. la baleine à bosse
B. le rorqual commun
C. la baleine bleue

6. **Combien de petites crevettes la baleine bleue mange-t-elle chaque jour ?**

A. 1 tonne
B. 3 tonnes
C. 5 tonnes

11. **Le grand voyage que les baleines font à travers les océans s'appelle :**

A. une migration
B. une giration
C. une excursion

12. **Les baleines vont dans les régions polaires en été pour :**

A. se nourrir
B. se reproduire
C. se promener

13. **Les baleines se reproduisent en :**

A. pondant des œufs
B. donnant naissance à une portée de petits
C. mettant au monde un seul bébé

14. **La baleine qui fait les chants les plus mélodieux est :**

A. la baleine à bosse
B. le cachalot
C. la baleine franche

19. **Les baleines sont protégées depuis :**

A. 1968
B. 1986
C. 1992

20. **Les 3 pays qui continuent à chasser les baleines sont ?**

A. le Japon
B. les États-Unis
C. la Norvège
D. la Chine
E. l'Islande
F. le Canada

Solutions

1. C - **2.** A - **3.** B - **4.** A - **5.** C - **6.** C
- **7.** B - **8.** A - **9.** B - **10.** C - **11.** A - **12.** B
- **13.** C - **14.** A - **15.** B - **16.** B et D
- **17.** A, B et E - **18.** A et D - **19.** B
- **20.** A, C et E

Index

Crédits photographiques

1re de couverture : B. J. Skerry/National Geographic/Getty Images - **4e de couverture** : D. Perrine/Nature Picture Library- **page de titre** : Y. Lefèvre/Biosphoto - **p. 4-5** : V. & F Sarano - **p. 6-7** : Didier Florentz - **p. 8 hd** : R. Dirscherl/ Getty Images ; **b** : V. & F Sarano - **p. 9 hg** : V. & F Sarano ; **hd** : Fotosearch/Getty Images ; **b** : C. Drochon - **p. 10 hd** : F. Nicklin/Minden Pictures/Getty Images ; **bg** : V. & F Sarano - **p. 11** : Didier Florentz - **p. 12** : Mark Carwardine/ Peter Arnold/Getty Images - **p. 13** : Gérald Guerlais - **p. 14 bg** : G. Soury/Biosphoto ; **bd** : / Brandon. Cole / Biosphoto - **p. 15 mg & bd** : Pacal Kobeh ; hd : Fred Bassemayousse - **p. 16-17** : M. Stenzel/National Geographic/Getty Images - **p. 16 bg** : V. & F Sarano - **p. 17 hg** : F. Gohier/Biosphoto ; **b** : Gulf of Maine Prod./SpecialistStock/Biosphoto - **p. 18 b** : C. Darkin/ Science Photo Library/Biosphoto - **p. 18-19** : Pascal Kobbeh - **p. 20** : V. & F Sarano - **p. 20-21** : V. & F Sarano - **p. 21 mg** : Ch. Swann/Biosphoto ; **hd** : Pascal Kobeh- **p. 22-23** : Pascal Kobeh - **p. 24** : Masa Ushiod/ Getty Images - **p. 25 hg** : National Geographic/Getty Images ; **bd** : G. Soury/Biosphoto - **p. 26 bg** : V. & F Sarano ; **hd** : M. S. Nolan/SpecialistStock/ Biosphoto - **p. 27 mg** : H. Minakuchi/Minden Pictures/Getty Images ; **hd** : V. & F Sarano ; b : Y. Lefèvre/Biosphoto - **p. 28 g** : R. Tomlinson/Nature Picture Library ; **d** : D. Allan/Nature Picture Library - **p. 29 photos et croquis** : V. & F Sarano ; **dessins bas** : Didier Florentz - **p. 30-31** : Fred Bassemayousse - **p. 32 h** : Ch. Swann/Biosphoto ; **bd** : M. Carwardine/Biosphoto - **p. 33 mg** : M. Conlin/OSF/Biosphoto ; **hd** : P. Colla/Visual and Written -**p. 34** : Th. Haider/OSF/Biosphoto - **p. 35 h** : G. Soury/Oxford Scientific/ Getty Images ; **bg** : Fred Bassemayousse - **p. 36** : Costa/Leemage - **p. 37** : Didier Florentz - **p. 38** : L. Ricciarini/Leemage - **p. 39 hg** : Popperfoto/Getty Images ; **b** : Heritage Images/Leemage ; **hd** : M. Breuil/Biosphoto - **p. 40 hg** : Katsumi Kasahara AP/SIPA ; **bd** : SIPA - **p. 41** : D. Perrine/Nature Picture Library - **p. 42** : Fred Bassemayousse - **p. 43 hg** : V. & F Sarano ; **autres photos** : Fred Bassemayousse ; **carte** : Jean Baptiste Neny.